Gallimard Jeunesse / Giboulées sous la direction de Colline Faure-Poirée

© Gallimard Jeunesse, 2002
ISBN: 978-2-07-054750-0
Premier dépôt légal: mars 2002
Dépôt légal: août 2008
Numéro d'édition: 158849
Loi n° 49956 du 16 juillet 1949
sur les publications destinées à la jeunesse
Imprimé et relié en France par Qualibris/Kapp

Samson le Hérisson

Antoon Krings

GALLIMARD JEUNESSE / GiBOULÉES

Il était une fois un hérisson qui s'appelait Samson. Il était tout rond comme un marron, piquant comme une châtaigne, et il reniflait souvent. On pouvait l'entendre flairer bruyamment la nuit quand il se promenait dans l'allée du jardin.

Il avançait à petits pas le long de la bordure, soulevait une pierre dans l'espoir de dénicher quelques cloportes, grattait un peu la terre, puis trottinait jusqu'aux feuilles mortes, qu'il ramassait bien sèches pour arranger son nid, caché au milieu des ronces et des broussailles.

« Ah, si seulement je n'habitais pas
aussi loin, je n'aurais pas à faire tout
ce chemin… » soupirait-il parfois
en implorant les coccinelles.
« Donnez-moi un petit coin de jardin
et je vous promets de ne pas faire
de foin. »

Or, un soir, Samson crut enfin son vœu
exaucé en trouvant sous les fougères
une vieille cabane abandonnée.
« L'endroit me paraît plutôt
tranquille… et confortable, je pourrais
m'y installer sans crainte d'être réveillé
par le froid cet hiver ! » La vue d'un
râteau le décida aussitôt et il se mit à
l'ouvrage. Quelques heures plus tard,
il ne restait plus une seule feuille
à ramasser autour du champignon
de Benjamin.

Mais le lutin ne s'en aperçut même pas quand il s'éveilla ce matin-là et qu'il jeta un coup d'œil à sa fenêtre. Par contre l'exposition en plein air de son matériel de jardinage le fit soudain bondir hors de son lit comme si une guêpe venait de le piquer. « Mes outils ! Qui a osé toucher à mes outils ? » s'écria-t-il horrifié.

Il enfila en vitesse ses affaires, mit son bonnet de travers, puis se précipita à la porte et fonça droit vers sa remise. Un épais mur de feuilles et de mousse en bouchait l'entrée.

« Oh ça alors ! s'exclama avec stupeur le lutin. Qui diable a bien pu me faire ça ? » Il commença à enlever la mousse par poignées, les feuilles par brassées, et à entasser le tout au milieu du jardin. Puis il se dépêcha de ranger ses outils.

Et après s'être assuré que la cabane
était fermée à clef, il rentra chez lui
pour se poster à sa fenêtre et surveiller
ses voisins.

Le soir même, trouvant porte close,
Samson flaira le danger et décida de
ne pas traîner sur place. Mais l'hiver
approchait à grands pas et il lui fallait
au plus vite chercher à s'abriter.

« À défaut de maison, ce tas de bois fera
l'affaire. C'est un peu rustique, mais ici
au moins personne ne viendra me
déloger », dit-il d'une voix chargée
de sommeil.

Il se glissa sous les bûches et aménagea
son nid. Quand il l'eut tapissé
de feuilles et garni de mousse, il se
pelotonna à l'intérieur et s'endormit
profondément. Seulement voilà,
pendant que Samson hibernait,
Benjamin le lutin grelot, grelot,
grelottait de froid dans son
champignon.

Plusieurs fois par jour, le bonhomme à la barbe blanche sortait chercher des bûches pour rallumer son feu et se réchauffer un peu. Tant et si bien qu'au bout de trois semaines, le tas de bois s'amenuisa sérieusement et le pauvre hérisson se retrouva bientôt sans abri.

Et comme un malheur n'arrive jamais
seul, un vent glacé fit voler sa
couverture de feuilles, le réveillant
brusquement. Hébété, Samson vit alors
le lutin qui sciait son toit.

– Ma maison ! Ma pauvre petite
maison…

– Quoi ? Qu'est-ce que c'est ? s'écria
Benjamin interloqué. Tu m'as fait peur !
Mais j'ignorais que tu habitais là ?

– Où je vais vivre maintenant ? Je ne
sais plus où aller… se lamenta
le hérisson, et il fait si froid !

Tandis qu'il gémissait, Benjamin étreignait sa barbe blanche en cherchant comment réparer son erreur.

– En attendant le dégel, lui dit-il enfin, tu pourrais peut-être dormir chez moi, ta maison nous chauffera.

Samson n'avait pas le choix. Il suivit sans rechigner le lutin jusque chez lui. Comme il n'avait rien mangé depuis trois semaines, il accepta avec joie de partager son repas et, tout guilleret, il se mit à chantonner : « Une assiette à lécher, une p'tite couette pour rêver... »

Mais Benjamin ne partagea pas, mais alors pas du tout, la joie du hérisson quand il fallut justement partager son lit.

– Aïe ! Ouille ! Fais attention avec tes épis … et arrête de remuer tout le temps… et puis cesse de renifler !

– Vous mettez pas en boule, Monsieur le lutin, c'est pas ma faute si j'pique, j'suis un hérisson tout de même et si ça me gratte, c'est à cause des puces qui démangent… et puis avec ce sale temps, pas étonnant que j'm'enrhume.

– Bon d'accord, j'ai compris, dit Benjamin en sautant du lit. Je préfère encore me coucher sur le paillasson.

La nuit porte conseil, dit-on, surtout après l'avoir passée enroulé dans un tapis brosse. Aussi, dès son réveil, le lutin dit à Samson d'un air un peu gêné :

-Hum... écoute... J'ai réfléchi finalement... Hum... j'ai pensé que tu pourrais peut-être prendre ce paillassson et t'installer dans la cabane au fond du jardin, bien confortablement.

-C'est pas vrai! Oh merci! s'écria le hérisson en courant vers le lutin pour l'embrasser.

-N..., n..., non, pas la peine de me remercier, c'est si peu de chose, tu sais, et puis... j'ai la barbe qui pique ce matin.